Poisson Pilote

Christophe Blain

ISAAC LE PIRATE
Les Amériques

Couleur : Walter & Yuka

Poisson Pilote

DARGAUD

PARIS BARCELONE BRUXELLES HONG KONG LAUSANNE LONDRES MONTREAL NEW YORK SHANGHAI

Certifié PEFC

Ce produit est issu
de forêts gérées
durablement et de
sources recyclées
et contrôlées.

PEFC™

10-31-1800 pefc-france.org

www.dargaud.com

© DARGAUD 2018
PREMIÈRE ÉDITION EN 2001
Conception graphique de la collection : Philippe Ravon
Tous droits de traduction, de reproduction et d'adaptation strictement réservés pour tous pays.
Dépôt légal : janvier 2018 • ISBN 978-2205-04940-4
Imprimé et relié en France par PPO Graphic, 91120 Palaiseau

OUVRE, AMOUR! OUVRE!

BOUM! BOUM!

BONSOIR, PETITE!

OH! OH! ENCORE UN GROS LIVRE QUE T'A PRÊTÉ M. AUBRUN. QUAND CESSERAS-TU D'EXCITER CE SALE BONHOMME POUR LUI PILLER SA BIBLIOTHÈQUE?

LAISSE-LE!

HUM! DE QUOI EST-CE QUE ÇA PARLE, CETTE FOIS? DES OSTROGOTHS? DES PAPOUS? DES CORNICHONS?

DES MAUIS-MAUIS, C'EST UNE TRIBU DES ANTIPODES COMPOSÉE DE GENS TRÈS SAVANTS ET TRÈS INTELLIGENTS. PLUS INTELLIGENTS QUE TOI!

C'EST ÉCRIT PAR UN GRAND EXPLORATEUR HOLLANDAIS. LES MAUIS-MAUIS ONT UN LANGAGE ET DES MŒURS TRÈS ÉVOLUÉS...

UN JOUR, JE VAIS REVENIR À LA MAISON, ET TU AURAS APPRIS LE LANGAGE DES TRIBUS DE LUTINS QUI VIVENT SUR LA CIME DES ARBRES DANS LES FORÊTS D'ORIENT...

PARFAITEMENT! ET JE TE QUITTERAI POUR ALLER VIVRE AVEC EUX, PARCE QUE CE SONT DES ÊTRES DOUX ET RAFFINÉS!

REGARDE! REGARDE! JE SUIS UN LUTIN! ET JE PARLE LE DIALECTE DES FORÊTS: COIN! COIN! COIN!

EN ATTENDANT, NOUS MANGERONS TOUS LES JOURS! M. BOULE, L'ÉCRIVAIN PUBLIC A ACCEPTÉ QUE JE L'AIDE. IL ME DONNERA UN SOU POUR CHAQUE LIGNE QUE J'ÉCRIRAI.

COMMENT? COMMENT? À CE VIEUX SALAUD AUSSI, TU AS FAIT DE L'ŒIL?

QUI PARLE DE MANGER ICI? VOIS CE QUE JE TE RAPPORTE, PETITE: DU JAMBON FUMÉ, DE LA SAUCISSE, DU PAIN, DU FROMAGE, DES TOMATES, DU VIN DU PIÉMONT. C'EST DELPIANO L'ITALIEN QUI M'A DONNÉ TOUT ÇA, PARCE QUE J'AI PEINT SON ENSEIGNE ET QU'IL A TROUVÉ ÇA « SOUPERBE »...

IL A DIT QUE ÇA FERAIT VENIR PLEIN DE CLIENTS...

MANGEONS VITE! C'EST TRÈS MAUVAIS POUR LA SANTÉ D'AVOIR AUTANT FAIM. DEPUIS QUE MON PÈRE NE NOUS DONNE PLUS D'ARGENT, J'AI DÛ PERDRE AU MOINS QUINZE LIVRES!

¡ISAAC! TON PÈRE ET TOI N'ÊTES FÂCHÉS QUE DEPUIS TROIS JOURS!

2

TU SAIS BIEN QUE JE M'ÉTIOLE LORSQUE J'AI DES SOUCIS.

TU EN AURAIS MOINS SI TU AVAIS ACCEPTÉ DE RENTRER DANS L'ATELIER DE LONNAIRE.

POUR AVOIR COMME MAÎTRE UN VIEUX FAT QUI PEINT DE LA MERDE? MERCI, TU AS UNE PIÈTRE OPINION DE TON HOMME!

CE TYPE A TRENTE ANS DE PLUS QUE MOI, MAIS IL NE SAIT PAS FAIRE LA MOITIÉ DE CE QUE JE FAIS. JE SERAI UN PEINTRE RENOMMÉ AVANT QU'IL NE MEURE ET J'IRAI LE NARGUER.

LONNAIRE, AU DIABLE! IL NE PLEUT PLUS ET J'AI LE COEUR LÉGER. VIENS VOIR, IL FAIT ENCORE TIÈDE DEHORS.

ALORS, C'EST FINI TA MÉCHANTE HUMEUR?

QUOI? JE N'ÉTAIS PAS TANT DE MAUVAISE HUMEUR! TU SAIS BIEN QUE J'AI BESOIN DE M'INTÉRIORISER UN PEU, PARFOIS...

QU'EST-CE QUE C'ÉTAIT, CE QUE TU CHANTAIS TOUT À L'HEURE EN ARRIVANT? ÇA M'A DONNÉ ENVIE DE DANSER.

POM POM LA LA ♪ ♫

OUI. C'EST ÇA!

ALORS DANSONS! ♪ POM POM ♪ POM POM ♪

NOUS DEVRIONS DANSER PLUS SOUVENT!

POM ♫ POM POM ♪

CHAQUE FOIS QUE JE SERAI JOYEUX. COMME MAINTENANT.

J'AI UNE MEILLEURE IDÉE! JE VAIS TE PEINDRE! METS-TOI TOUTE NUE!

MAINTENANT? TU NE VEUX PAS ATTENDRE DEMAIN?

NON! NON! CE SOIR, JE VAIS BIEN. JE N'AI PAS PEINT DEPUIS UNE SEMAINE, IL FAUT QUE JE SACHE SI JE SAIS ENCORE DESSINER ET PEINDRE, SINON JE VAIS MAL DORMIR! TU VAS LIRE NUE SUR LE LIT, ET JE VAIS TE PEINDRE.

PETITE? C'EST VRAI QUE J'ÉTAIS DÉSAGRÉABLE CETTE SEMAINE? NE BOUGE PAS!

TU ÉTAIS TERRIBLE!

AH NON! NE ME CULPABILISE PAS! J'AI BESOIN QUE TU ME LAISSES AVOIR DES DOUTES. SI JE ME SENS COUPABLE DE T'INFLIGER MES ÉTATS D'ÂME, JE SUIS ENCORE PLUS ANGOISSÉ. JE NE PEUX PLUS NI DESSINER, NI PEINDRE, NI RIEN DU TOUT...

JE TE LAISSE ME RABROUER, FAIRE TA VILAINE TÊTE SANS TE LE REPROCHER, N'EST-CE PAS?

OUI! OUI! C'EST ÇA! TU SAIS BIEN QUE DE TOUTE FAÇON JE NE PENSE JAMAIS CE QUE JE DIS DANS CES MOMENTS ET QUE JE LE REGRETTE TOUJOURS APRÈS...

NE T'INQUIÈTE PAS, AMOUR, BIENTÔT, LE MONDE RECONNAÎTRA TON GÉNIE!

NE TE MOQUE PAS ET LAISSE-MOI TE DESSINER.

ISAAC? TU CROIS QUE TON PÈRE NOUS LAISSERA NOUS MARIER?

JE ME FOUS DE CE QU'IL PENSE, TU SERAS MA FEMME!

JE POURRAIS PEUT-ÊTRE ME CONVERTIR?

NON! JE VEUX T'ÉPOUSER TOI! TU ES UNE GOY, JE VEUX ÉPOUSER UNE GOY!

NI TOI NI LUI NE POURREZ VIVRE FÂCHÉS LONGTEMPS, ISAAC. TON PÈRE EST UN BRAVE HOMME...

TAIS-TOI! JE NE VEUX PLUS EN PARLER!

JE NE PEUX PAS ME CONCENTRER, TU M'EXCITES.

JE VAIS TE PRENDRE PENDANT QUE TU LIS.

4

ALICE!
ALICE!

BOM
BOM

REGARDE CES BOTTES!
C'EST MON AMI CÉSAR
QUI ME LES A DONNÉES...

...REGARDE! AVEC MA
MOUSTACHE ET MES
BOTTES, JE RESSEMBLE
À UN MOUSQUETAIRE!

TCHAC!
TCHAC!
TCHAC!

JE SUIS ALLÉ DANS LA
BOUTIQUE DE CÉSAR POUR
LES DESSINER. MON DESSIN
LUI A TELLEMENT PLU
QU'IL L'A GARDÉ EN
ÉCHANGE DES BOTTES.
BIEN SÛR, ELLES NE SONT
PAS NEUVES, MAIS
MAINTENANT, JE PEUX
FAIRE DES AUTOPORTRAITS
EN MOUSQUETAIRE...

ALICE?
POURQUOI
TU ME
REGARDES
COMME
ÇA?...

ISAAC, QU'EST-CE
QUE C'EST?...

EH BIEN, C'EST UNE ÉTUDE
QUI PRÉFIGURE UNE GRANDE
COMPOSITION. C'EST LE PORTRAIT
D'UN HOMME EN HABIT MILITAIRE
SUR LE PONT D'UN BATEAU, SUR
FOND DE COMBAT NAVAL...

CE N'EST PAS
TOI QUI L'AS
PEINTE,
N'EST-CE PAS?

NON, C'EST
UN DUFFON...

COMBIEN
L'AS-TU
PAYÉE?

JE NE
L'AI PAS...

TU L'AS ÉCHANGÉE
CONTRE UN DE TES
DESSINS, J'IMAGINE...

NON...

JE L'AI GAGNÉE AU TRICTRAC...

TU NE CONNAIS MÊME PAS LES RÈGLES DU JEU DE DAMES! COMBIEN L'AS-TU PAYÉE?

TU FOUILLES DANS MES AFFAIRES?

TOUT TON FATRAS S'EST ÉCROULÉ EN MANQUANT DE M'ASSOMMER. JE L'AI TROUVÉE EN RAMASSANT TES TOILES. TU L'AVAIS CACHÉE!...

BAF

C'EST JEAN QUI TE L'A VENDUE!

J'AI BESOIN DE CE TABLEAU...

COMBIEN L'AS-TU PAYÉE?

HEU... CENT.

TROIS CENTS!

CENT CINQUANTE.

TROIS CENTS!

DEUX CENTS...

TROIS CENTS!

ISAAC? TU L'AS PAYÉE PLUS DE TROIS CENTS?

QUATRE CENT CINQUANTE...

OÙ AS-TU TROUVÉ CET ARGENT? TU T'ES ENDETTÉ?

UN PEU... J'AI VENDU BEAUCOUP DE DESSINS. J'AI FAIT DES PORTRAITS DE PETITS COMMERÇANTS...

ISAAC, NOUS VIVONS PÉNIBLEMENT DEPUIS DES SEMAINES, BOULE TARDE À ME PAYER. JE TRAVAILLE JUSQUE TARD DANS LA NUIT, ET TU ME CACHES DE L'ARGENT POUR T'ACHETER CETTE PETITE CROÛTE!

C'EST UN DUFFON, ALICE!

COMBIEN DE TEMPS T'A-T-IL FALLU POUR AMASSER CETTE FORTUNE SECRÈTE?

JE NE SAIS PAS... TROIS MOIS... PEUT-ÊTRE QUATRE... ALICE, J'AI BESOIN DE CETTE ÉTUDE. DUFFON EST MORT AVANT D'AVOIR PU PEINDRE LE TABLEAU QU'IL VOULAIT EN TIRER... JE VAIS PEINDRE DE GRANDES SÉRIES NAVALES...

... ELLES FERONT SENSATION, JE GAGNERAI LE TRIPLE, LE QUADRUPLE! JE VEUX PEINDRE DES MARINES, DES BATEAUX... NOUS VIVRONS DANS UNE VILLE PORTUAIRE RICHE, PLEINES DE MARCHANDS, JE DEVIENDRAI PEINTRE OFFICIEL...

TU VAS REVENDRE CE TABLEAU!

JE NE PEUX PAS, ALICE, JE L'AI ATTENDU, ESPÉRÉ PENDANT UN AN...

COPIE-LE ET REVENDS-LE!

DUFFON EST LE MAÎTRE QUE J'ADMIRE LE PLUS...

TAIS-TOI! TAIS-TOI!

CRAC!

ISAAC?

C'EST DE
LA MERDE...

MH...

TON CROQUIS EST BIEN MIEUX. TU
POURRAIS FAIRE UNE BELLE
PEINTURE D'APRÈS ÇA.

DE TOUTE FAÇON,
PERSONNE N'ACCEPTERA
DE ME LE RACHETER
AUX BEAUX-ARTS.

ISAAC, M. BOULE NE M'A
PAS DONNÉ DE TRAVAIL
DEPUIS QUATRE JOURS.
IL A DES ENNUIS
D'ARGENT, LUI AUSSI.

ISAAC, TU N'AS PLUS BESOIN
DE CE TABLEAU... TU Y ARRIVES
BIEN MIEUX TOUT SEUL... SI
TU VEUX, C'EST MOI QUI
IRAI LE REVENDRE...

NON!

J'IRAI MOI-MÊME, ET
PERSONNE N'EN VOUDRA!
POURQUOI EST-CE QUE
TU NE ME CROIS PAS?
POURQUOI EST-CE QUE
TU ME DIS TOUJOURS
CE QUE JE DOIS FAIRE?
COMME SI J'ÉTAIS
UN GAMIN!...

...JE NE SAIS PAS
TRAVAILLER, JE NE SAIS
PAS AVOIR DE L'ARGENT,
JE NE SAIS PAS ME
COMPORTER COMME
UN ADULTE! JE ME
CONDUIS COMME UN
GOSSE! C'EST CE QUE
TU PENSES, N'EST-CE PAS?

SLAM!

JEUNE HOMME!
JEUNE HOMME!

?

PARDON, JEUNE HOMME, J'AI VU QUE VOUS CHERCHIEZ, SANS SUCCÈS, À VENDRE CE PETIT TABLEAU. C'EST TOUJOURS VOTRE INTENTION?

POURRAIS-JE LE VOIR?

VOUS VOUDRIEZ L'ACHETER?

PAS EXACTEMENT... C'EST VOUS QUI L'AVEZ PEINT, N'EST-CE PAS?

HEU... OUI.

VOUS N'ÊTES PAS SANS TALENT, MON AMI, POURQUOI NE L'AVEZ-VOUS PAS SIGNÉ?

C'EST UNE ÉTUDE PRÉPARATOIRE, JE VOULAIS PEINDRE UNE GRANDE COMPOSITION...

OÙ AVEZ-VOUS RENCONTRÉ LE PERSONNAGE REPRÉSENTÉ?

C'EST... ENFIN... UN PERSONNAGE QUE J'AI IMAGINÉ... ENFIN, RECOMPOSÉ D'APRÈS PLUSIEURS CROQUIS...

C'EST FRAPPANT. VOUS AVEZ L'AIR DE VOUS Y ENTENDRE, EN COMBAT NAVAL. SANS VOULOIR VOUS FLATTER EXAGÉRÉMENT, VOTRE TABLEAU ME FAIT PENSER À DUFFON. VOUS DEVEZ LE CONNAÎTRE...

JE NE ME SUIS PAS PRÉSENTÉ: HENRI DEMELIN, CHIRURGIEN.

ISAAC SOFER, PEINTRE.

VOUS AIMEZ DUFFON?

8

10

C'EST UN EXCELLENT PEINTRE, N'EST-CE PAS ?... ET UN FAMEUX MARIN !...

...VOUS MÊME ?...

EH BIEN, JE SUIS PASSIONNÉ DE LA CHOSE MARITIME. LE MOINDRE TERME, LA MOINDRE MANŒUVRE N'A PAS DE SECRET POUR MOI... JE N'AI JAMAIS NAVIGUÉ, MAIS J'AI ÉTUDIÉ UN NOMBRE INCALCULABLE DE LIVRES SUR LA QUESTION, DE PEINTURES, DE TÉMOIGNAGES...

VOUS SAVEZ, JE SAURAIS RECONNAÎTRE UN BRICK, UN SLOOP OU UNE FRÉGATE DU PREMIER COUP D'ŒIL...

JE SUIS FÉRU DE RÉCITS DE PIRATERIE... VOUS AVEZ LU LES MÉMOIRES DU CAPITAINE JOHNSON ?

LE CAPITAINE JOHNSON, OUI, BIEN SÛR...

ET VOUS N'AVEZ JAMAIS NAVIGUÉ...

NON.

VOUS SEMBLEZ DE SOLIDE CONSTITUTION, MON AMI. VOUS FERIEZ UN EXCELLENT MARIN.

VOUS ÊTES MARIN ?

ET AMATEUR D'ART.

MARINE MILITAIRE ?

NON.

JE TRAVAILLE POUR UN RICHE ARMATEUR... ET CAPITAINE. IL POSSÈDE UNE PETITE FLOTTE.

VOUS PARCOUREZ LE MONDE ?

HA ! HA ! OUI, NOS AFFAIRES SONT FLORISSANTES !

VOS HABITS EN TÉMOIGNENT.

JE SUIS D'UN NATUREL COQUET.

ACCEPTERIEZ-VOUS DE RENCONTRER MON CAPITAINE ? C'EST UN HOMME DE GOÛT. VOS TALENTS L'INTÉRESSERONT.

TOUT DE SUITE, SI VOUS VOULEZ !

POUR CELA, IL FAUDRA LE REJOINDRE SUR SON BATEAU ET EMBARQUER. VOUS ÊTES PRÊT À EMBARQUER, NATURELLEMENT...

9

JE VAIS ME MARIER... NOUS AVONS DE GROS SOUCIS D'ARGENT... JE... JE NE PEUX PAS LA LAISSER SEULE...

JE VOUS COMPRENDS.

L'EMBARQUEMENT NE DURERA QUE QUELQUES JOURS...

VOILÀ QUI VOUS SOULAGERA. À VOTRE RETOUR, ELLE ÉPOUSERA UN HOMME RICHE.

DONNEZ-MOI VOTRE ADRESSE, JE PASSERAI VOUS PRENDRE EN DILIGENCE À NEUF HEURES. NE PRENEZ QU'UN MINIMUM D'EFFETS. VOTRE CONFORT SERA ASSURÉ À BORD. VOS CONDITIONS DE TRAVAIL SERONT CELLES D'UN MAÎTRE.

RENTREZ CHEZ VOUS, MAINTENANT, RASSUREZ-LA, SOYEZ LE MEILLEUR DES HOMMES. VOUS NE REGRETTEREZ JAMAIS CE DÉPART. NE FANFARONNEZ PAS DEVANT LES COLLÈGUES QUE VOUS RENCONTREREZ, NE PARLEZ QU'À ELLE. À TOUT À L'HEURE, MON AMI.

MONTEZ! MONTEZ VITE, MON VIEUX!

NOUS SOMMES SEULS?

BIEN ENTENDU! LES VOYAGES EN DILIGENCE SONT SUFFISAMMENT PÉNIBLES POUR NE PAS PRENDRE SES AISES!

AVEZ-VOUS DÎNÉ? J'AI LÀ DES FRUITS, DE LA VIANDE FUMÉE, DU PAIN... NOUS NOUS ARRÊTERONS PEU DURANT LE VOYAGE.

JE N'AI PAS FAIM...

VOUS ÊTES INQUIET. COMMENT A-T-ELLE PRIS LA CHOSE?

ELLE N'EST PAS RASSURÉE. ELLE ÉTAIT TRISTE...

VOUS AIMEZ-VOUS DEPUIS LONGTEMPS?

DEPUIS L'ENFANCE; NI ELLE NI MOI N'AVONS CONNU D'AUTRES AMANTS.

VOUS DEVEZ AVOIR FAIT UN PORTRAIT D'ELLE. ACCEPTERIEZ-VOUS DE ME LE MONTRER?

C'EST UNE TRÈS BELLE FEMME... VOUS LA RETROUVEREZ, MON AMI... NOUS ARRIVERONS DANS DEUX JOURS. VOULEZ-VOUS DU TABAC?

10

HA! HA! JE VOIS QUE VOUS BRÛLEZ DE DESSINER! C'EST BIEN, C'EST TRÈS BIEN!

DÉPÊCHEZ-VOUS, MON VIEUX, JE VOIS LE CAPITAINE QUI S'AGITE ET VOCIFÈRE, NOUS DEVONS ÊTRE EN RETARD.

C'EST MON EMPLOYEUR?

GRANDS DIEUX, NON! CELUI-CI N'EST QU'UN BRAILLARD SANS ENVERGURE. UN BON CONSEIL: TENEZ-VOUS À L'ÉCART DE CET ANTIPATHIQUE!

CET IDIOT A FAILLI PARTIR SANS NOUS. UN MATELOT PRÉPARE NOTRE CABINE...

...JE VOUS INVITE À RESTER SUR LE PONT POUR SUIVRE LES MANŒUVRES D'APPAREILLAGE.

NOUS ALLONS AUX AMÉRIQUES?

NATURELLEMENT! C'EST LÀ QU'EST MON CAPITAINE!

VOUS POUVEZ ENCORE SAUTER SUR LE QUAI, NOUS N'EN SOMMES PAS SI LOIN. ALLONS, PENSEZ À LA CHANCE DE VIVRE UNE TELLE EXPÉRIENCE...

MA PAUVRE ALICE!

DOMMAGE QUE VOUS N'AYEZ PLUS DE TEMPS POUR DESSINER CE PORT. JE LE TROUVE BIEN BEAU.

M. DEMELIN, OÙ ALLONS-NOUS, À LA FIN? DURANT TOUT NOTRE VOYAGE EN DILIGENCE, VOUS AVEZ NOYÉ MES INTERROGATIONS AVEC DES RÉCITS DE PIRATERIES (PASSIONNANTS AU DEMEURANT). J'AI VU DES CAISSES DESTINÉES AUX AMÉRIQUES SUR LE PONT, ET...

PRÉCISÉMENT.

ÇA VOUS PLAÎT?

VOUS NE DESSINEZ PLUS? VOUS AVEZ FAIT DES AQUARELLES PENDANT LA TRAVERSÉE, POURRAIS-JE LES VOIR?... ALLONS, ALLONS! NE FAITES PAS LA TÊTE, CESSEZ DE VOUS RONGER, MON VIEUX! ALICE SERA FIÈRE DE VOUS. VOUS SEREZ SON GRAND EXPLORATEUR...

SENTEZ-VOUS CE BON AIR CHAUD? NOUS SOMMES TOUT PRÈS DES CARAÏBES...

ALERTE! ALERTE!

OH! OH! CET IMBÉCILE DE COMMANDANT ACCOURT... QUE SE PASSE-T-IL? ALLONS VOIR!...

LES PIRATES! LES PIRATES!

PERMETTEZ, COMMANDANT?...

OH, LÀ, LÀ!

MESSIEURS, JE RECONNAIS CE PAVILLON: C'EST CELUI DE JEAN MAINBASSE. CROYEZ-MOI, ABANDONNEZ TOUTE IDÉE DE RÉSISTANCE!

MON DIEU!

QU'EST-CE QU'IL FAUT FAIRE, M. DEMELIN?

SE CALMER.

POUSSE-TOI!

REGARDE VERS LE HAUT, MON GARS.

EH BIEN, VOUS AVEZ L'AIR D'UNE ÂME EN PEINE!

ALLONS PRENDRE L'AIR... JE VOUS AVOUERAI QUE JE SUIS UN PEU MÉLANCOLIQUE.

LES HOMMES SONT MALADES?

QUELQUES BOBOS, UN PEU DE FIÈVRE... PAS GRAND-CHOSE...

NON, C'EST LEUR MORAL QUI EST ATTEINT... EN MON ABSENCE, ILS ONT PERDU UNE FIGURE, UN COMPAGNON DE LONGUE DATE,...

... GUILVINEC, DIT « POGNE D'ARGENT », TERRASSÉ PAR UN TERRIBLE MAL DE VENTRE. IL A GUEULÉ UNE SEMAINE ENTIÈRE, LA TRIPE EN FEU, AUX YEUX ET AUX OREILLES DE L'ÉQUIPAGE IMPUISSANT. SA RAISON L'AVAIT DÉJÀ QUITTÉ LORSQU'IL EST MORT...

MA MAIN... ELLE REPOUSSE...

SON CALVAIRE LES A MIS AU PLUS BAS... DE TOUTE FAÇON, JE N'AURAIS PAS PU LE SAUVER. SI UN BOULET L'AVAIT EMPORTÉ, ÇA AURAIT ÉTÉ PLUS FACILE.

14

JEAN EST AFFECTÉ. « POGNE D'ARGENT » ÉTAIT SON MATELOT DEPUIS DIX ANS. IL SE REPROCHE DE N'AVOIR PAS EU LE CŒUR DE L'ACHEVER...

QUE NOUS APPORTEZ-VOUS, JEAN?

CETTE MALLE EST À TOI, PEINTRE!

HAHA!

IL Y A LÀ-DEDANS, À CE QU'ON M'A DIT, TOUT CE QU'UN ARTISTE DÉSIRE. DES HUILES FINES, DES PIGMENTS, DES PINCEAUX QUI VIENNENT DE LA CAPITALE...

JE L'AI PRISE SUR UN BATEAU DE LA ROYALE. LE PEINTRE À QUI ELLE APPARTENAIT N'A PAS VOULU ME SUIVRE.

FAIS MON PORTRAIT!

ALLEZ-Y, ALLEZ-Y!

BIEN... HUM... JE DOIS D'ABORD FAIRE UNE ESQUISSE... UNE ÉTUDE... PUIS...

FAIS! FAIS!

AU LARGE, VOUS AUTRES! LAISSEZ-LE FAIRE SON OUVRAGE!

EH BIEN?

FAIS VOIR!

HA! HA! TOUT! VOTRE REGARD, VOTRE MOUSTACHE... CE SONT DE GRANDES LIGNES, MAIS C'EST VOUS, C'EST SÛR!

C'EST VOUS, C'EST INDISCUTABLE!

TOI, LE PEINTRE, TU TOUCHES TA PREMIÈRE PART MAINTENANT: DOUZE PIÈCES D'OR ET TU NOUS OFFRES LE RHUM...

...TU TE TROUVERAS UN MATELOT. TOUS VOS BIENS ET VOS FEMMES SERONT COMMUNS, À L'EXCEPTION DE TON MATÉRIEL DE PEINTURE...

JACQUES RANÇON! CE SOIR, C'EST TOI QUI GRILLES LE COCHON À TA MANIÈRE! NOUS FÊTONS UNE BELLE PRISE ET LE RETOUR D'HENRI!

16

POUR « POGNE D'ARGENT ».

POUR HENRI!

POUR HENRI!

BOIS, MANGE, MON GARÇON!

J'AI SU DÈS MA RENCONTRE AVEC CE JEUNE HOMME QU'IL ÉTAIT FAIT POUR LA GLOIRE ET L'AVENTURE.

IL PORTAIT SOUS LE BRAS UNE PETITE TOILE DIGNE D'UN GRAND MAÎTRE. ELLE REPRÉSENTAIT UN ABORDAGE SANGLANT, AU CENTRE ON VOYAIT UN MARIN FÉROCE QUI RESSEMBLAIT ÉTRANGEMENT AU CAPITAINE PEACH!

TU CONNAIS LE CAPITAINE PEACH? IMPOSSIBLE! TU ES TROP JEUNE!

PAR DES ÉCRITS ET QUELQUES GRAVURES SEULEMENT...

HA, HA, HA! PEACH! L'HABILETÉ, LA CRUAUTÉ ET LE COURAGE FAITS HOMME! C'EST LE PLUS GRAND! ON DIT QUE LE DIABLE ÉTAIT À SON BORD!...

OUI! OUI! ON RACONTE QU'UN JOUR, LORS D'UNE PARTIE DE CARTES AVEC SES MEILLEURS HOMMES...

...IL PRIT SON PISTOLET ET TIRA SOUS LA TABLE. IL BRISA LE GENOU DE SON SECOND, SANS EXPLICATION, POUR MONTRER QU'IL ÉTAIT PEACH, LE SEUL À POUVOIR FAIRE ÇA... GLOUPS...

VOYEZ! VOYEZ! CE N'EST PAS TOUT À FAIT UN NOVICE.

PEACH! J'AURAIS AIMÉ RENCONTRER CE TYPE! LE PLUS REDOUTÉ DES CARAÏBES! ET UN FAMEUX TROUSSEUR DE JUPONS!

PEACH ÉTAIT IMPUISSANT.

UN TEL COMPORTEMENT NE PEUT ÊTRE QUE CELUI D'UN IMPUISSANT!... ET PUIS ON LUI A PRÊTÉ BEAUCOUP DE MAÎTRESSES, MAIS PERSONNE N'EN A VU AUCUNE...

...IL Y EUT UNE EXCEPTION...

...ALORS QUE SON ÉQUIPAGE SE CACHAIT DANS UNE CRIQUE DE LA TORTUE, IL DISPARUT PENDANT DIX JOURS. SES HOMMES LE CRURENT MORT...

...ILS S'APPRÊTAIENT À APPAREILLER LORSQU'IL RÉAPPARUT...

...AVEC, À SON BRAS, UNE FILLE TRÈS JEUNE, TRÈS DOUCE. ELLE N'AVAIT RIEN D'UNE CATIN. ON EÛT DIT UNE VIERGE. LE PLUS SURPRENANT EST QU'ELLE SEMBLAIT TRÈS ÉPRISE DE PEACH ET QUE PEACH LUI-MÊME AVAIT L'AIR AMOUREUX, PLEIN D'ÉGARDS ET DE TENDRESSE...

...IL LA FIT DÉLICATEMENT MONTER À SON BORD ET APPELA SIX DE SES PLUS FIDÈLES ACOLYTES...

...IL LES FIT VENIR DANS SA CABINE QU'IL FERMA À DOUBLE TOUR. LÀ, IL EXIGEA QUE SES SIX LIEUTENANTS LA PRENNENT SELON SA FANTAISIE. LES COMPLICES PRIRENT PEUR, IMAGINANT UNE NOUVELLE CRUAUTÉ MACHIAVÉLIQUE DE LEUR CHEF. EN DÉPIT DE LEUR APPÉTIT BRUTAL POUR LES PERSONNES DU SEXE, AUCUN D'EUX N'OSA LA TOUCHER...

... LE TERRIBLE PEACH ENTRA DANS UNE COLÈRE NOIRE ET LEUR PROMIT LE PIRE S'ILS NE S'EXÉCUTAIENT PAS...

... LES CONDITIONS N'ÉTAIENT PAS DES PLUS FAVORABLES POUR QUE LES MALHEUREUX PUISSENT EXPRIMER LEUR VIRILITÉ, MAIS LA FILLE LES Y AIDA. ILS DURENT SE LIVRER À MILLE PROUESSES, ACROBATIES ET VIOLENCES RAFFINÉES...

... ON NE SAIT COMBIEN DE FOIS ET PENDANT COMBIEN DE JOURS CETTE SCÈNE S'EST RÉPÉTÉE. PEACH REPRIT LE COURS DE SES AVENTURES ET LA JEUNE FILLE DISPARUT... ON NE LA RETROUVA JAMAIS...

... ON DIT QUE PEACH FINIT PAR LA TUER, TANT IL SOUFFRAIT DE NE POUVOIR L'HONORER...

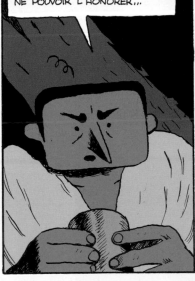

CETTE HISTOIRE EST SI SINGULIÈRE QUE JE SUIS SÛR QU'ELLE EST VRAIE, TOUT AU MOINS DANS LES GRANDES LIGNES...

AAAAH! BIEN VU, JEUNE HOMME! VOUS APPORTEZ LÀ UN ÉCLAIRAGE NOUVEAU... JE ME RALLIE À VOTRE EXPOSÉ! OUI! IL ME PLAÎT!

POUR LE PEINTRE! HAHAHAHAHAHAHA!

TAP!

POUR LE PEINTRE! HAHAHAHAHAHAHAHA!

GRMB MRRRR

QUI EST CETTE FEMME DANS TON CARNET?

BEUH... BEN ,.. C'EST MA FIANCÉE.

TU ES SÉRIEUX?

BEN OUI... POURQUOI?

TU TE MOQUES DE MOI!...

...COMMENT POURRAIS-TU AVOIR UNE FEMME AUSSI BELLE?...

MAIS ENFIN, C'EST VRAI! EN PLUS, C'EST UN PORTRAIT TRÈS RESSEMBLANT! ELLE S'APPELLE ALICE!

JE TE CROIS! JE TE CROIS! TU ES PARTI SANS TE MARIER AVEC ELLE?

OUI, ET ALORS?

IMAGINES-TU QU'À L'HEURE QU'IL EST UNE DOUZAINE DE SOUPIRANTS SE BATTENT SOUS SA FENÊTRE?

ILS SONT JEUNES, VIEUX, PEUT-ÊTRE BEAUX, PARFOIS RICHES. LA MOITIÉ D'ENTRE EUX LUI A DÉJÀ DEMANDÉ SA MAIN...

OUAIS, BEN C'EST LA MIENNE, DE MAIN, QU'ILS AURONT DANS LA GUEULE!

HAHAHAHA! MOI AUSSI JE CONNAIS DE BELLES FEMMES. CE SOIR, JE LEUR RENDS VISITE AVANT DE PARTIR...

AVANT DE PARTIR?... OÙ ALLONS-NOUS?

SUIS-MOI.

CHOISIS LES PLUS BELLES FRUSQUES. JE VEUX QUE TU SOIS PRÉSENTABLE. JE T'EMMÈNE CHEZ LE GOUVERNEUR.

DÉPÊCHE-TOI!

20

22

HAHAHA! JE VOIS QUE TU AS UN GOÛT VESTIMENTAIRE ASSEZ SÛR.

ALLEZ, GRIMPE LÀ-DEDANS. DÉPÊCHE-TOI!

SALUT, MON CHER!

C'EST AVEC CE BATEAU QUE NOUS PARTONS?

C'EST MA PLUS BELLE PRISE. JE L'AI ARRANGÉ À MON GOÛT. IL EST PRESQUE PRÊT.

ET... OÙ ALLONS-NOUS?

LOIN DE CETTE ÎLE ET DE CETTE GROTTE QUI ME SORTENT PAR LES YEUX.

VOUS FEREZ DES ABORDAGES AVEC UN SI GROS NAVIRE?

HA HA! POURQUOI? LES ABORDAGES TE PLAISENT TANT QUE ÇA?...

...NOUS EN REPARLERONS... MOI, JE PENSE AUX BEAUTÉS QUI NOUS ATTENDENT...

NOUS SOMMES DE RETOUR DEMAIN À NEUF HEURES. QUARTIER LIBRE, LES GARS! PRENEZ DU BON TEMPS, MAIS ÉVITEZ LES BAGARRES...

...RESTEZ DISCRETS!

VICOMTE DE BONNEVAL. NOUS SOMMES ATTENDUS PAR SON EXCELLENCE.

SUIVEZ-MOI, JE VOUS PRIE.

JE DOIS RÉGLER QUELQUES AFFAIRES AVEC LE GOUVERNEUR. PROMÈNE-TOI DANS LES JARDINS, ILS SONT GÉNÉRALEMENT BIEN FRÉQUENTÉS.

BONNE JOURNÉE, MON VIEUX.

AH! SI TU RENCONTRES LA FEMME DU GOUVERNEUR, DESSINE-LA!

REGARDEZ CE QUE NOUS AVONS TROUVÉ!

...UN DESSINATEUR!

ISAAC, PEINTRE.

CLOTILDE.

ÉMILIE.

CAMILLE.

JOSÉPHINE.

ET QUE DESSINEZ-VOUS, MONSIEUR?

CE QUE JE VOIS, OU PLUTÔT CE QUE JE CHERCHE À COMPRENDRE.

VOUS AIMEZ DONC LA BOTANIQUE.

JE M'Y INTÉRESSE BEAUCOUP MOINS, TOUT D'UN COUP.

MAIS JE VOUS EN PRIE, REPRENEZ LE COURS DE VOTRE DISCUSSION... OUBLIEZ-MOI.

ET VOUS ALLEZ NOUS DESSINER?

NATURELLEMENT. ET JE PRÉFÈRE QUE VOUS NE POSIEZ PAS.

VOUS POURSUIVEZ UNE QUÊTE SCIENTIFIQUE?

SAVEZ-VOUS QU'IL N'EXISTE PRATIQUEMENT PAS DE PLAISIR ÉGAL À CELUI D'ASSISTER À UNE CONVERSATION DE FEMMES?

MAIS SI CELA VOUS GÊNE, JE DISPARAIS SUR L'HEURE! JE ME CACHE DERRIÈRE CETTE AFFREUSE PLANTE PLEINE DE TENTACULES... TENEZ! OU PLUS LOIN ENCORE, SI VOUS LE VOULEZ, JE ME PERDS DANS CETTE VÉGÉTATION HOSTILE.

HI HI HI HI!

RESTEZ ET DESSINEZ.

D'OÙ VENEZ-VOUS, MONSIEUR LE PEINTRE?

DE LA CAPITALE. UN RICHE NAVIGATEUR M'A FAIT VENIR JUSQU'ICI POUR PEINDRE SES AVENTURES.

DE LA CAPITALE! JE N'Y SUIS JAMAIS ALLÉE! ET VERSAILLES? CONNAISSEZ-VOUS VERSAILLES?

VOUS SAVEZ, JE NE FRÉQUENTE PAS LES GRANDS DE CE MONDE. JE NE SUIS QU'UN MODESTE PEINTRE.

...QU'ON S'ARRACHE JUSQU'AUX AMÉRIQUES.

23

MOI, J'AI CONNU UN PEINTRE, MAIS JE N'AIMAIS PAS DU TOUT SA PEINTURE. MON PÈRE LUI AVAIT COMMANDÉ UN PORTRAIT DE MOI, J'ÉTAIS AFFREUSE! IL M'AVAIT FAITE BEAUCOUP TROP GROSSE. IL FAUT DIRE QUE J'ÉTAIS ENCORE UNE GAMINE. C'EST VRAI QUE JE N'ÉTAIS PAS À MON AVANTAGE EN CE TEMPS, MAIS TOUT DE MÊME!

JE SUIS SÛR QUE VOUS AVEZ EU AFFAIRE À UN ABOMINABLE TÂCHERON!

PERMETTEZ?

BIEN SÛR.

PUIS-JE REGARDER LES PREMIÈRES PAGES?...

MH MH... VOUS AVEZ DE BELLES FEMMES DANS VOTRE ENTOURAGE. ELLE NON PLUS N'A PAS POSÉ?

JE... JE L'AI DESSINÉE DE MÉMOIRE.

JE SUIS SÛRE QUE CE DESSIN LUI RESSEMBLE. VOUS N'AVEZ RIEN INVENTÉ, ÇA SE VOIT.

OH! OH! TE VOICI, JOSÉPHINE!

FAIS VOIR! FAIS VOIR!

'EST TRÈS RESSEMBLANT, TU ES TRÈS BELLE!

TU TROUVES?

ET LÀ, CAMILLE!

HIHIHIHIHI!

MOI, C'EST TON DESSIN QUE JE PRÉFÈRE.

VOUS DESSINEZ TRÈS BIEN LES PLIS DES ROBES.

ET LÀ, REGARDE, IL A MÊME DESSINÉ UNE CHAUSSURE.

C'EST VRAI, VOUS AVEZ L'AIR DE VOUS Y ENTENDRE EN TOILETTE FÉMININE.

J'AI RATÉ MA VOCATION.

...JE DEVRAIS DESSINER DES ROBES POUR LES DAMES.

ET LES CHAUSSURES! J'AIME BEAUCOUP LES CHAUSSURES. J'AI DESSINÉ LES VÔTRES PARCE QUE LA CAMBRURE DU PIED M'Y SEMBLAIT IDÉALE...

MALHEUREUSEMENT, C'EST DANS LA MARINE QUE JE TROUVE MA VOIE.

BONJOUR MADAME!

BONJOUR, MES AMIES!

C'EST LA FEMME DU GOUVERNEUR.

SAVEZ-VOUS, MADAME, QUE NOUS AVONS TROUVÉ UN NOUVEL AMI QUI JOUE À NOUS DESSINER?

IL POURRAIT FAIRE VOTRE PORTRAIT EN UN INSTANT.

SI VOUS LE DÉSIREZ, MADAME.

C'EST AMUSANT, ON M'A PARLÉ DE VOUS.

MONTREZ-MOI.

VOUS DEVEZ ÊTRE TRÈS DIFFICILE À DESSINER. VOS TRAITS SONT SI FINS, SI SUBTILS!

NE ME FLATTEZ PAS, MA CHÈRE. NOTRE AMI EST BIEN PARVENU À VOUS DESSINER TOUTES PLUS JOLIES LES UNES QUE LES AUTRES.

FAITES VOIR.

BRAVO, MONSIEUR, VOUS ÊTES TALENTUEUX.

MES AMIES, N'OUBLIEZ PAS NOTRE RÉUNION DANS LE PETIT SALON. MONSIEUR LE PEINTRE, VOUS POUVEZ VOUS JOINDRE À NOUS SI VOUS LE VOULEZ. VOUS ÊTES LIBRE...

...PEUT-ÊTRE PRÉFÉREZ-VOUS VOUS PROMENER DANS NOTRE BEAU JARDIN.

ET VOUS, D'OÙ VENEZ-VOUS, MADEMOISELLE CLOTILDE?

MOI AUSSI JE VIENS DE LA CAPITALE. J'AI SUIVI MON PÈRE LORSQU'IL A EU UN POSTE D'ADMINISTRATEUR ICI.

LA CAPITALE NE VOUS MANQUE PAS? VOUS NE VOUDRIEZ PAS Y RETOURNER?

JE SUIS BIEN ICI. N'EST-CE PAS UNE SORTE DE PARADIS?... ET MON PÈRE M'A PRÉSENTÉ UN HOMME CHARMANT QUI TRAVAILLE AVEC LUI. NOUS SOMMES FIANCÉS. NOUS NOUS MARIONS LE MOIS PROCHAIN.

NON, JE N'AI PAS ENVIE DE RETOURNER DANS LA CAPITALE.

ET VOUS, ELLE NE VOUS MANQUE PAS, CETTE CAPITALE? QUE CHERCHEZ-VOUS ICI?

HA HA! L'AVENTURE! LA FORTUNE!

EN DESSINANT DES JEUNES FEMMES DANS LES JARDINS?

JE ME CONTENTERAIS D'ÊTRE PAUVRE, SI JE POUVAIS FAIRE DE CETTE ACTIVITÉ MON MÉTIER.

ALORS? FAIS VOIR TON CARNET!

OH! OH! OUI! C'EST BIEN ELLE! REGARDEZ, HENRI! LA FEMME DU GOUVERNEUR!

JE VEUX QUE TU M'EN FASSES UN PETIT TABLEAU QUE J'ACCROCHERAI DANS MA CABINE...

QUAND JE TE DISAIS QUE J'AIMAIS DE BELLES FEMMES, MOI AUSSI. C'EST MA MAÎTRESSE, ET ELLE M'ATTEND DANS SA CHAMBRE, TOUT À L'HEURE.

HA, HA! MAIS JE VOIS QUE TU N'AS PAS PERDU TON TEMPS! RAVISSANT!

SUR LAQUELLE AS-TU JETÉ TON DÉVOLU?

BIEN! BIEN! ELLE T'ATTENDRA CETTE NUIT, TOI AUSSI?

OUI.

BON! MES AMIS, NOS CHEMINS SE SÉPARENT POUR CETTE NUIT. QUANT À VOUS, HENRI, TOUJOURS LA FEMME DU CAPITAINE?

MADAME DE BEAUREGARD EST EXQUISE.

DEMAIN, NEUF HEURES. N'OUBLIEZ PAS!

HUMPF!

GNN...

RRRiiP

RRRAAAH MMPFF...

BROM! BROM!

BRRRRRR!

BLONG!

BLONG!

QUE FAITES-VOUS, MA PETITE?

JE M'EN VAIS, MONSIEUR TARTON.

POURQUOI ÇA? VOUS N'ÊTES PAS BIEN, ICI?

JE N'AI PLUS LES MOYENS DE PAYER LE LOYER, MONSIEUR TARTON. JE DOIS PARTIR.

AAAH... C'EST POURQUOI VOUS EMMENEZ LES MACHINS DE VOTRE PEINTRE. AU FAIT, OÙ EST-IL, CELUI-LÀ?...

ÇA FAIT TROIS SEMAINES QUE JE NE LE VOIS PLUS. EST-IL PARTI?

IL EST PARTI, HEIN? POURQUOI NE PAS ME L'AVOIR DIT PLUS TÔT? SI VOUS NE POUVEZ PAS RESTER, VENEZ CHEZ MOI. MA FEMME N'Y VOIT PLUS TRÈS BIEN, ET...

MERCI, MONSIEUR TARTON. AU REVOIR, MONSIEUR TARTON. EMBRASSEZ VOTRE FEMME POUR MOI.

PAUVRE PETITE, IL EST PARTI SANS MÊME VOUS LAISSER DE QUOI MANGER!

BONJOUR, MADAME PAILLETTE.

SI, IL M'A LAISSÉ DE L'ARGENT, MAIS JE N'AI PLUS DE TRAVAIL DEPUIS DES SEMAINES, ET MA MÈRE A ÉTÉ MALADE. LES MÉDECINS ET LES REMÈDES COÛTENT TRÈS CHER.

TENEZ, C'EST MA NOUVELLE ADRESSE, UN PETIT APPARTEMENT QUE J'AI TROUVÉ DANS LES FAUBOURGS. JE NE SAIS PAS QUAND IL VA REVENIR. VOUS LA LUI DONNEREZ QUAND IL PASSERA ICI.

AU REVOIR, MADAME PAILLETTE. PRENEZ SOIN DE VOUS.

AU REVOIR, MA PETITE. VOUS SAVEZ OÙ ME TROUVER, SI VOUS AVEZ BESOIN...

28

PARDON, MADEMOISELLE, QUE VENDEZ-VOUS?

RIEN, MONSIEUR. JE DÉMÉNAGE.

VOUS FAITES DE LA PEINTURE? CE SONT BIEN DES TOILES, N'EST-CE PAS?

PARDON, MONSIEUR. J'AI UN LONG CHEMIN À FAIRE JUSQU'À CHEZ MOI.

OÙ ALLEZ-VOUS?

VERS LE FAUBOURG SAINT-ANDRÉ.

PERMETTEZ-MOI DE VOUS AIDER. JE SUIS DÉSŒUVRÉ ET FLÂNEUR, CE MATIN...

ALLONS! LAISSEZ! LAISSEZ!

PARDON... PHILIPPE DU CHEMIN VERT.

ALICE JEANNENET.

C'EST VOUS QUI ME GUIDEZ. JE NE CONNAIS PAS LA CAPITALE...

D'OÙ VENEZ-VOUS?

JE VIENS DU NORD, DE TOUT EN HAUT. DU CÔTÉ DE MOUNEVILLE... VOUS CONNAISSEZ? PEU IMPORTE!

VOILÀ TROIS SEMAINES QUE JE SUIS ICI...

...MAIS C'EST PROVISOIRE.

...NE LE RÉPÉTEZ PAS, JE VAIS PARTIR AUX INDES!

SI! SI! CROYEZ-MOI!

MAIS, HONNÊTEMENT, CE N'EST PAS FAIT. JE VEUX OUVRIR UN COMPTOIR LÀ-BAS. J'AI VENDU MA PROPRIÉTÉ, ET JE SUIS VENU CHERCHER DES APPUIS ICI...

ET VOUS?

JE SUIS D'ICI.

ET VOUS ÊTES PEINTRE.

C'EST MON FIANCÉ QUI EST PEINTRE.

VOUS VENDEZ SES TOILES SUR LES MARCHÉS? VOUS ÊTES SON COMMIS? SON NÉGOCIANT?

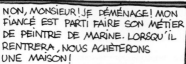

NON, MONSIEUR! JE DÉMÉNAGE! MON FIANCÉ EST PARTI FAIRE SON MÉTIER DE PEINTRE DE MARINE. LORSQU'IL RENTRERA, NOUS ACHÈTERONS UNE MAISON!

VOUS AVEZ BESOIN D'ARGENT, N'EST-CE PAS?

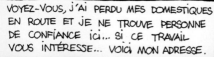

HEU... SAVEZ-VOUS CUISINER?

VOYEZ-VOUS, J'AI PERDU MES DOMESTIQUES EN ROUTE ET JE NE TROUVE PERSONNE DE CONFIANCE ICI... SI CE TRAVAIL VOUS INTÉRESSE... VOICI MON ADRESSE.

JE SERAI CHEZ MOI, DEMAIN MATIN... BONJOUR, MADEMOISELLE!

30

32

BONJOUR! ENTREZ!

VENEZ! VENEZ!

VOUS TROUVEREZ TOUT CE DONT VOUS AVEZ BESOIN LÀ-DEDANS.

HEU, VOILÀ... CONTENTEZ-VOUS D'ÉLIMINER UN PEU DE POUSSIÈRE... SURTOUT NE RANGEZ RIEN, JE NE M'Y RETROUVERAIS PAS.

MES MÉTHODES DE CLASSEMENT ÉTAIENT LE MOTIF DE GUERRE FAVORI ENTRE MA GOUVERNANTE ET MOI... LA MEILLEURE DES FEMMES AVEC UN CARACTÈRE DE SANGLIER.

IMAGINEZ UNE BONNE FEMME HAUTE COMME ÇA, AVEC UNE ABOMINABLE VOIX DE CRÉCELLE, QUI M'APPELAIT «MON GRAND», QUI APPELAIT TOUT LE MONDE «MON GRAND». LORSQUE VOUS LA CROISIEZ DANS UN COULOIR, UNE SEULE ALTERNATIVE SE PRÉSENTAIT: VOUS ÉTIEZ CAJOLÉ OU ROSSÉ.

ELLE A TUÉ UN CUISINIER ET DEUX PALEFRENIERS SOUS ELLE...

ON PEUT DIRE QUE C'EST ELLE QUI M'A ÉLEVÉ QUAND MA MÈRE EST MORTE.

ELLE N'A PAS VOULU ME SUIVRE ICI... SON MARI A UNE MAUVAISE SANTÉ.

J'IRAI LES REVOIR AVANT DE PARTIR... BON! JE VOUS LAISSE, UNE REDOUTABLE PAPERASSE M'ATTEND.

J'AI L'HABITUDE DE DÉJEUNER VERS UNE HEURE, UNE HEURE ET DEMIE, MAIS PRENEZ VOTRE TEMPS.

TOUSS!
TOUSS!

VOUS CONNAISSEZ VAN HEACKEN ?

HEU... JE CROYAIS AVOIR LU TOUS SES OUVRAGES, MAIS JE NE CONNAISSAIS PAS CELUI-CI.

IL EST REMARQUABLE, QUOIQU'UN PEU LONG.

HEACKEN RACONTE SIX MOIS DE SA VIE DANS UNE TRIBU D'AFRIQUE ORIENTALE. JE L'AI TRADUIT AVEC MON MEILLEUR AMI...

UN AN DE TRAVAIL... NOUS AVONS FAILLI NOUS FÂCHER APRÈS ÇA.

IL EST À VOUS, PRENEZ-LE.

J'AI FAIM, POURRIEZ-VOUS PRÉPARER LE DÉJEUNER ?

PUIS VOUS ME PARLEREZ DE VOS LECTURES...

MON PÈRE M'A APPRIS À LIRE SUR SES GENOUX. C'ÉTAIT UN HOMME DE SCIENCE. IL PARLAIT SIX LANGUES. IL A EXERCÉ UN PEU LA MÉDECINE ET A ENSEIGNÉ DIX ANS À L'UNIVERSITÉ...

IL A DÛ ARRÊTER À CAUSE DE SON CŒUR.

...BEAUCOUP DE SES ÉTUDIANTS CONTINUAIENT À VENIR CHEZ NOUS... NOUS AVIONS DES MILLIERS DE LIVRES. NOUS NE SAVIONS PLUS OÙ LES METTRE. NOUS EN FAISIONS DES TABLES, DES CHAISES... PAPA ÉTAIT UN VRAI PANIER PERCÉ, NOUS N'AVIONS PLUS ASSEZ D'ARGENT POUR MANGER, ET IL CONTINUAIT À NOUS ACHETER DES BOUQUINS...
LORSQU'IL EST DÉCÉDÉ, MAMAN S'EST RETROUVÉE AVEC DES DETTES ET MES DEUX PETITES SŒURS À ÉLEVER. LES ÉLÈVES DE PAPA L'ONT EMPÊCHÉE DE VENDRE LES LIVRES... ILS NOUS ONT AIDÉES PENDANT DES ANNÉES. CERTAINS AIDENT ENCORE MAMAN DE TEMPS EN TEMPS.

VOUS AVEZ MANGÉ ? PRENEZ UNE ASSIETTE ! ASSEYEZ-VOUS, ASSEYEZ-VOUS !

ET VOTRE AUTEUR FAVORI EST VAN HEACKEN...

L'EXACTITUDE AVEC LAQUELLE IL DÉCRIT LES MŒURS DES PEUPLES QU'IL RENCONTRE ME FASCINE.

GLOUPS!

GLP.

C'EST TRÈS... HUM... HEU... BON...

...C'EST LE MEILLEUR ETHNOLOGUE QUI EXISTE, MAIS HONNÊTEMENT, JE LE TROUVE UN PEU PESANT...

SA RIGUEUR DE PROTESTANT HOLLANDAIS M'ÉTOUFFE!

JE LUI PRÉFÈRE DONIEUX... CONNAISSEZ-VOUS DONIEUX?...

AH! VOUS ME DONNEZ UNE NOUVELLE OCCASION D'ENRICHIR VOTRE BIBLIOTHÈQUE.

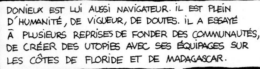

DONIEUX EST LUI AUSSI NAVIGATEUR. IL EST PLEIN D'HUMANITÉ, DE VIGUEUR, DE DOUTES. IL A ESSAYÉ À PLUSIEURS REPRISES DE FONDER DES COMMUNAUTÉS, DE CRÉER DES UTOPIES AVEC SES ÉQUIPAGES SUR LES CÔTES DE FLORIDE ET DE MADAGASCAR.

C'EST EN LISANT SES CARNETS QUE J'AI APPRIS À NAVIGUER, MAL M'EN A PRIS. J'AIME LES VOYAGES AU LONG COURS, MAIS JE DÉTESTE LES BATEAUX... ILS ME LE RENDENT BIEN!

DONG DONG

JE DOIS FILER!

INUTILE DE PRÉPARER À MANGER POUR CE SOIR, JE DÎNE EN VILLE.

À DEMAIN MATIN!

HEU... ALICE! J'AI UNE CHAMBRE CONFORTABLE ET QUELQUES PIÈCES ANNEXES DANS LES COMBLES. VOUS POURRIEZ VOUS Y INSTALLER... CE SERAIT PLUS COMMODE POUR VOTRE SERVICE... ET VOUS POURRIEZ CONSULTER MES LIVRES...

RÉFLÉCHISSEZ!

OH! LE PEINTRE! VIENS, MON VIEUX! J'AI À TE PARLER! AUJOURD'HUI, C'EST LE GRAND JOUR!

EH BIEN, QU'EST-CE QUE C'EST QUE CETTE GUEULE? MOI QUI CROYAIS QUE TU VOULAIS PARTIR À L'AVENTURE?!...

33

C'EST LA PETITE, HEIN? IL EST PLUS DOUX DE PARTIR QUE DE RESTER, TU VERRAS, HAHAHA! ALLEZ, ENTRE LÀ-DEDANS.

TU VAS CONNAÎTRE NOTRE DESTINATION. ASSIEDS-TOI. J'ATTENDAIS QU'ON SOIT PARTI POUR TE L'APPRENDRE.

NOUS ALLONS AU SUD DU SUD. TU AS VU LES FOURRURES DANS L'ENTREPONT? NOUS ALLONS VERS LE GRAND FROID...

AU-DELÀ DES AMÉRIQUES, NOUS TRAVERSERONS UNE BARRIÈRE DE MONTAGNES DE GLACE QUI FLOTTENT SUR L'EAU. DE L'AUTRE CÔTÉ, IL Y A UNE TERRE. JE VEUX ÊTRE LE PREMIER À Y ACCOSTER.

NOUS REPRENONS LA ROUTE DE MATTHIEU LE BONHOMME.

TU CONNAIS MATTHIEU LE BONHOMME, TOI QUI CONNAIS TOUT?

LE BONHOMME A PRIS CE CHEMIN IL Y A PLUS DE CENT ANS. J'AI TROUVÉ SES CARTES ET SON JOURNAL DE BORD CHEZ UN NÉGOCIANT EN VINS DE SAINT-MALO, UN DE SES DESCENDANTS. LE BOUGRE N'ACCORDAIT AUCUNE VALEUR À CES RELIQUES. IL ME LES A VENDUES À VIL PRIX...

...LE BONHOMME A EU L'INTUITION D'UNE TERRE INCONNUE ALORS QU'IL CHERCHAIT À CONTOURNER LES AMÉRIQUES PAR LE SUD. SA PROGRESSION A ÉTÉ ARRÊTÉE PAR LA MER QUI S'EST MISE À GELER. LA GLACE CERNAIT SON BATEAU...

...IL DUT FAIRE DEMI-TOUR, MAIS IL EUT LE TEMPS D'APERCEVOIR LES CÔTES DU NOUVEAU MONDE. IL Y A OBSERVÉ DE LA VIE, MAIS IL N'A PAS PU DIRE S'IL S'AGISSAIT D'HOMMES OU DE CRÉATURES D'UN GENRE NOUVEAU...

IL A VU DES ANIMAUX OPULENTS ET INCONNUS. CES TERRES RENFERMENT DES RICHESSES À COUP SÛR.

PERSONNE N'A ACCORDÉ DE CRÉDIT À CE RÉCIT À SON RETOUR. IL N'A PAS PU TROUVER DE FONDS POUR MONTER UNE SECONDE EXPÉDITION. IL EST MORT DANS L'OUBLI, PEU APRÈS.

J'AI REPRIS SA ROUTE. TOI, TU VAS RAMENER DES IMAGES DE CE NOUVEAU MONDE, ET L'ON ME CROIRA. CETTE TERRE PORTERA MON NOM. VOILÀ TROIS ANS QUE JE PRÉPARE CETTE AVENTURE.

QUAND EST-CE QU'ON RENTRE?

34

C'EST DANS L'HISTOIRE QUE TU ENTRES!

AVEC QUELQUES SEMAINES DE TA VIE! TU DEVIENDRAS LE ROI DU MONDE!

TU AS ÉCRIT UNE LETTRE À TA FIANCÉE AVANT DE PARTIR?... ALORS, ELLE SERA RASSURÉE ET ELLE T'ATTENDRA!

TU ES DÉGU? TU REGRETTES LE MÉTIER DE PIRATE? TU ES FOU! TU N'AS PAS IDÉE DE CE QU'EST LE MÉTIER DE PIRATE! PEACH A MARQUÉ LA PIRATERIE DE SON NOM, JE FERAI MIEUX QUE LUI!

COMPARES-TU CETTE GLOIRE À CELLE DE SE TERRER DANS UNE GROTTE MALODORANTE?...

LE BONHOMME Y EST PARVENU AVEC DES TECHNIQUES DE NAVIGATION RUDIMENTAIRES ET UNE COQUE DE NOIX. J'AI UN NAVIRE MODERNE ET DES CONNAISSANCES SANS COMPARAISON AVEC LES SIENNES. NOUS Y SOMMES PRESQUE!

À PARTIR DE MAINTENANT, TU PEINS TOUS LES JOURS!

NE POSE PLUS DE QUESTIONS, NE ME DÉÇOIS PAS! JACQUES RANÇON TE FIXE TON CHEVALET SUR LE PONT! TU POURRAS PEINDRE MÊME PENDANT LA TEMPÊTE. ALLONS! ALLONS! À L'OUVRAGE!

TU AS ASSEZ POSÉ, LE BARIL! C'EST MON TOUR! REGARDE, LE PEINTRE, JE VAIS TE MONTRER QUELQUE CHOSE...

REGARDE COMME UN PIRATE SE BAT!

TCHA!

TCHA!

POUSSE-TOI UN PEU, LA TEIGNE. JE POSE AVEC TOI, ÇA FERA UN DUEL!

AH OUI! C'EST BIEN, ÇA!

HÉ! LA TEIGNE! MON DESSIN, IL EST PAS FINI!

35

DESCENDS DE LÀ, LA TEIGNE, QUE LE PEINTRE FINISSE!

TU EMPÊCHES LE PEINTRE DE TRAVAILLER, LE BARIL!

TA GUEULE, LA POUDRE!

C'EST UN DESSIN ÉTRANGE, MAIS JE RECONNAIS BIEN LA TEIGNE. TU EN FERAS UN TABLEAU BIEN FINI, DE ÇA?

TU AS VU? ON VOIT BIEN QUAND IL MET UN COUP DE POING AU BARIL!

CROYEZ-VOUS QU'ILS SAURONT SE TENIR COMME DES DÉCOUVREURS DE MONDE?

REGARDE DONC CE QU'A FAIT LE PEINTRE, LA TEIGNE!

VIENS PAR ICI, TOI!

OOH... LE BARIL, VOIS ÇA!

BEN MERDE, ALORS!

JEAN! JEAN! SUR BÂBORD!

JE LES OBSERVE DEPUIS UN MOMENT, ILS NOUS SUIVENT. CROIS-TU QU'ILS OSERAIENT NOUS ATTAQUER?

ILS EN ONT BIEN L'AIR. ILS ONT DU CULOT, NOUS SOMMES DÉJÀ LOIN DES CÔTES!

JEAN, JE SAIS QUE NOUS NE SOMMES PLUS PIRATES, MAIS HISSE TON PAVILLON, ILS N'OSERONT PEUT-ÊTRE PAS S'EN PRENDRE À NOUS.

QUI ÇA PEUT BIEN ÊTRE? EDWARDS? LA BÈGUE? MON PAVILLON POURRAIT AU CONTRAIRE LES MOTIVER...

FORCEZ LA VITESSE! JE NE VEUX PAS QU'ILS ABÎMENT LE BATEAU!

36

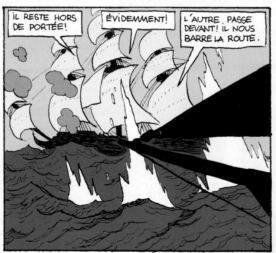

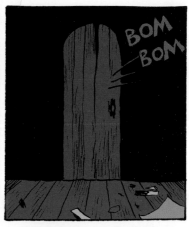

PARDON! HEU... ALICE?

ALICE? QU'EST-CE QUE VOUS FAITES LÀ?

EH BIEN, J'AI FINI, MONSIEUR. COMME VOUS NE MANGEZ JAMAIS À LA MAISON, JE N'AI PLUS RIEN...

BON! BON! TRÈS BIEN! JUSTEMENT, JE PENSAIS À VOUS... REVENEZ CHEZ MOI!

JE NE SAVAIS PAS QUE VOUS RENTRIEZ. SI VOUS VOULEZ, JE VAIS ACHETER DE QUOI VOUS PRÉPARER À MANGER...

SURTOUT PAS!

ALLONS! ALLONS! ENTREZ! PAS DE QUESTION.

HEU...JE N'AI PAS NETTOYÉ LE BUREAU PARCE QUE JE NE SAVAIS PAS SI...

JE M'EN FOUS!

JE NE M'EN SORS PAS! LES PAPIERS, LES LETTRES, LA COMPTABILITÉ, LES RENDEZ-VOUS D'AFFAIRES, LES CARTES!...

JE SUIS AVENTURIER, EXPLORATEUR, ENTREPRENEUR, MARCHAND, SI VOUS VOULEZ, MAIS PAS BUREAUCRATE!

VOUS AVEZ TRAVAILLÉ CHEZ UN ÉCRIVAIN PUBLIC? VOUS AVEZ DES LETTRES... ALORS AIDEZ-MOI...

LAISSEZ VOS CHIFFONS, C'EST FINI!

J'AI DÉJÀ TROUVÉ QUELQU'UN POUR VOUS REMPLACER.

BIEN. VOS GAGES SONT MULTIPLIÉS PAR TROIS. CE N'EST PAS UN CADEAU QUE JE VOUS FAIS, LA TÂCHE EST LOURDE...

J'AI BESOIN DE VOUS À TEMPS PLEIN. VOUS UTILISEREZ LE BUREAU ET TROIS PIÈCES DU DEUXIÈME ÉTAGE. VOUS EN FEREZ VOS APPARTEMENTS.

DÉBROUILLEZ-VOUS AVEC VOTRE EMPLOI DU TEMPS, VOUS NE ME VERREZ PRESQUE JAMAIS.

VOUS UTILISEREZ LES COMBLES POUR LES AFFAIRES DE VOTRE PEINTRE...

J'AI TROUVÉ DES BRAS POUR FAIRE LE DÉMÉNAGEMENT CET APRÈS-MIDI, SI VOUS LE VOULEZ.

J'AI BESOIN DE VOUS ICI... ALORS? C'EST OUI? SI VOUS REFUSEZ, JE VOUS VIRE, PARCE QUE VOUS ÊTES UNE CUISINIÈRE EXÉCRABLE! VOTRE TAMBOUILLE EST UN POISON! UN SUPPLICE!...

J'AI MÊME CRU QUE VOUS VOULIEZ ME TUER AVEC!

40

OHLÀ! DOUCEMENT, BUTORS!

C'EST TERRIBLEMENT FRAGILE, CE QUE VOUS PORTEZ LÀ!

POSEZ ÇA LÀ.

AURAI-JE LE DROIT DE LES VOIR UN JOUR, ALICE?

BIEN SÛR

JE POURRAIS MÊME EN ACHETER UN S'IL ME PLAÎT... J'ATTENDRAI LE RETOUR DE VOTRE PEINTRE, NATURELLEMENT.

VOUS AUREZ PLUS DE PLACE CHEZ VOUS, À PRÉSENT.

VOUS ÊTES SÛRE DE NE PAS VOULOIR VOUS INSTALLER ICI?...

VOUS AVEZ RAISON. VOUS N'EN TRAVAILLEREZ QUE MIEUX.

CETTE MUSIQUE ME DONNE ENVIE DE DANSER.

JE SUIS D'ACCORD AVEC VOUS. LE GRAND REGRET DE MA VIE EST DE NE PAS AVOIR ASSEZ FRÉQUENTÉ LES SALONS ET LES COURS POUR ÊTRE UN BON DANSEUR.

NOUS NE SOMMES PAS À LA COUR, ALORS DANSEZ!

JE N'OSERAIS PAS ME DONNER EN SPECTACLE.

DITES PLUTÔT QUE VOUS AURIEZ HONTE DE VOUS MONTRER AVEC UNE PETITE ROTURIÈRE.

VOUS L'AUREZ VOULU : JE SUIS UN DANSEUR DÉPLORABLE !

JE VOUS MARCHE SUR LES PIEDS ET JE NE SAIS PAS VOUS GUIDER.

ALORS C'EST MOI QUI VOUS GUIDE.

JE NE ME SUIS JAMAIS SENTI AUSSI MALADROIT, MAIS C'EST AGRÉABLE.

PERSONNE N'A JAMAIS ESSAYÉ DE VOUS APPRENDRE ?

CLAP CLAP CLAP

BON... HEU... IL FAUT QUE JE RENTRE.

ALLEZ ! RENTREZ ! RENTREZ ! DÉPÊCHEZ-VOUS ET DORMEZ ! N'OUBLIEZ PAS QUE VOUS COMMENCEZ DEMAIN À L'AUBE !

RESTE ALLONGÉ, LE TIBURON, HENRI A DIT QUE TU NE DEVAIS PAS BOUGER.

JE VEUX TE VOIR PARTIR DEBOUT, JEAN.

ET TOI, LE BORGNE, MON PAUVRE VIEUX...

JE VEUX PARTIR AVEC TOI, JEAN. DANS UNE SEMAINE, JE SUIS SUR PIED !

42

44

VOUS NE SURVIVREZ PAS À QUINZE JOURS DE MER, LES GARS.

JE VEILLE SUR EUX, JEAN.

VOUS AUREZ VOTRE PART COMME NOUS AUTRES, QUAND JE REVIENDRAI.

C'EST LA TEIGNE QUI A VOULU QU'ON LES ENTERRE COMME ÇA.

?

QU'ONT-ILS TOUS AVEC LEUR BIBLE? LA TEIGNE EST UN VALEUREUX...

MAIS JE LE DÉTESTE LORSQUE JE LE VOIS FAIRE SES PRIÈRES, SES COURBETTES. IL A DES MANIÈRES DE BONNE FEMME.

43

45

ET TOI, LE PEINTRE, TU CROIS CE QU'IL Y A ÉCRIT DANS CETTE BIBLE?

JE SUIS ATHÉE. ENFIN, JE SUIS JUIF, MAIS JE SUIS ATHÉE QUAND MÊME.

TU ES MÉCRÉANT, OUI OU NON?

OUI.

À LA BONNE HEURE! TU ES UN VRAI PIRATE!

CERTAINS PIRATES CROIENT EN DIEU.

OUI, BEN PAS MOI! JE CROIS EN MOI, EN MON BATEAU, EN MON ÉQUIPAGE, EN TOI SI TU ES DIGNE DE CONFIANCE!

JE NE PEUX PAS EMPÊCHER LEURS SALOPERIES À BORD, MAIS ILS M'ÉNERVENT!

REGARDE HENRI! IL A SAUVÉ LE BORGNE ET LE TIBURON AVEC SES MAINS, SON ADRESSE... PAS EN PRIANT JE NE SAIS QUI!...

CE N'EST PAS UN MIRACLE! HENRI EST UN MÉCRÉANT COMME MOI, COMME TOI, ET JACQUES RANGON ET LA GAMELLE ET FRANÇOIS LE PLOMB SONT DES MÉCRÉANTS...

ILS SONT TOUS AUSSI BRAVES ET N'ONT PAS MOINS DE CHANCE: ILS SE SONT BATTUS COMME DES DIABLES, ET AUCUN D'EUX N'EST BLESSÉ!

JE LES AI OBSERVÉS. CE SONT PEUT-ÊTRE DES MÉCRÉANTS, MAIS ILS NE SE FONT PAS À L'IDÉE QUE LES MORTS NE VONT NULLE PART.

JACQUES RANGON! TU SAVAIS, TOI, QUE LES MORTS NE VONT NULLE PART?

QU'EST-CE QUE TU DIS, JEAN?

44

46

OÙ EN ES-TU?

J'AI PRESQUE FINI. SI TOUT VA BIEN, ON APPAREILLE CET APRÈS-MIDI.

HÉ, LE PEINTRE! TU M'AS DESSINÉ, QUAND J'ÉTAIS ACCROCHÉ SUR LA VERGUE?...

TU ME MONTRERAS CE QUE T'AS FAIT, HEIN?

PROMIS, JACQUES!

Christophe Blain octobre 2000

A suivre

48

Du même auteur

CHRISTOPHE BLAIN

Chez le même éditeur
Hiram Lowatt & Placido (2 tomes disponibles) *avec David B.*
Isaac le Pirate (5 tomes disponibles et 1 intégrale luxe n&b des tomes 1 à 3)
Quai d'Orsay (2 tomes disponibles et 1 intégrale) *avec Abel Lanzac*
Socrate le Demi-chien (3 tomes disponibles) *avec Joann Sfar*
Gus (4 tomes disponibles)

Autres éditeurs

Le Réducteur de vitesse — Dupuis
Carnet d'un matelot — Albin Michel
King Kong *textes de Michel Piquemal* — Albin Michel jeunesse
Le Noyau de Pierre *avec Michelle Montmoulineix* — Albin Michel
La Balançoire *avec J. Hœstland* — Casterman
Carnet de Lettonie — Casterman
Carnet polaire — Casterman
Les Deux Arbres *avec E. Brami* — Casterman
Donjon Potron-Minet (4 tomes disponibles) *avec Sfar & Trondheim* — Delcourt
La Course à L'Élysée *un jeu d'Abel Lanzac illustré par Christophe Blain* — Letheia
Carnet de Lettonie — Casterman
En cuisine avec Alain Passard — Gallimard
La Fille *avec Barbara Carlotti* — Gallimard
La Mythologie grecque *(illustrations) de François Busnel* — Le Seuil